VRAGEN OVER AZIË

Dit boek is tot stand gekomen in nauwe samenwerking met CPS onderwijsontwikkeling en advies in het kader van het leesbevorderingsproject De Leespiramide. Financiële steun is verleend door het Prins Bernhard Fonds, de Nationale Commissie voor internationale samenwerking en Duurzame Ontwikkeling (NCDO), Eco Direct en de ambassade van Japan.
De Leespiramide is dit jaar gekoppeld aan het 25-jarig jubileum van het wereldtijdschrift samsam en is een leesbevorderingsproject voor de groepen 7 en 8 van de basisschool. Het doel is leerlingen te stimuleren thuis boeken te lezen, waardoor zij lezen ontdekken als een vorm van vrijetijdsbesteding.

© Nederlandstalige uitgave 2000 Koninklijk Instituut voor de Tropen - Amsterdam, Novib - Den Haag

Koninklijk Instituut voor de Tropen
Mauritskade 63
Postbus 95001
1090 HA Amsterdam
tel. 020-5688 272
fax 020-5688 286
e-mail kitpress@kit.nl
website http://www.kit.nl

Oorspronkelijke titel: *Japan* in de serie van 'Ask about Asia'
© 1999 Vineyard Freepress

Projectleider:	Valerie Hill
Tekst:	Robin Morrow
Vormgeving:	Denny Allnutt
Onderzoek:	Peter Barker
Redactie:	Clare Booth
Cartografie:	Ray Sim
Adviseurs:	Dorothy Minkoff, Alida Sijmons
Omslagontwerp:	Vineyard Freepress
Foto's:	Mike Langford, Japan National Tourist Organization, Japans consulaat, The Japan Foundation, Japan Airlines, Valerie Hill, Ben Hill, Denny Allnutt, Canon Australia Pty Ltd, Kodansha International, National Gallery of Victoria, Sony, Suzuki Talent Association of Australia (NSW) Inc.
Productie Nederlandstalige uitgave:	TextCase, Groningen
Vertaling:	Inge Kappert
Opmaak:	Signia, Winschoten

ISBN 906832 889 1

10 9 8 7 6 5 4 3 2 1

OMSLAG: enorm leeuwenmasker bij een processie.
TITELPAGINA: levensgrote papieren vlieger met reiger.
INHOUD: schoolmeisjes beklimmen de Aso, de actieve vulkaan op Kyushu.
INLEIDING: meisjes op weg naar school in de winter in Hokkaido.

Japan

INHOUD

HET MODERNE JAPAN

HET DAGELIJKS LEVEN

INLEIDING

HET EILANDENRIJK Japan was lange tijd afgesloten van de rest van de wereld. De tradities en vakkennis uit deze opmerkelijke cultuur werden van generatie op generatie doorgegeven. Toen de Japanners over de grenzen keken naar wat andere landen te bieden hadden, eindigde deze expansiedrift in de gruwelen van de Tweede Wereldoorlog.

De wederopbouw van Japan is een succesverhaal. Van een arm land werd Japan een wereldleider in technologie en in zaken. Dit dichtbevolkte, hardwerkende land is goed georganiseerd. Japanse jongeren groeien nu op in een maatschappij met zowel traditionele normen en gebruiken als moderne, westerse aspecten.

HEEL VEEL EILANDEN

▲ De Binnenzee.

Vlak bij de noordoostkust van Azië ligt Japan. Het land bestaat uit honderden eilanden, in de vorm van een smalle halvemaan, die in de lengte van noord naar zuid 3000 km lang is. De vier belangrijkste eilanden zijn, in volgorde van grootte, Honshu, Hokkaido, Kyushu en Shikoku. Tweederde van Japan bestaat uit bergen, die zo hoog en steil zijn, dat je er niet kunt wonen of werken. De mensen wonen hoofdzakelijk in de steden, die in de dalen zijn gebouwd. Japan is een van de dichtstbevolkte landen ter wereld. Je bent er nergens ver van zee: in het oosten ligt de Grote Oceaan, in het westen de Japanse Zee. 's Winters kan het er, in het noorden, maar liefst -40 °C zijn, 's zomers meer dan 30 °C. Het is er dan heel vochtig.

De Japanse seizoenen:
haru   lente (maart-mei)
natsu zomer (juni-augustus)
aki   herfst (september-november)
fuyu   winter (december-februari)

DE SEIZOENEN

Japan heeft naast de vier seizoenen ook nog *tsuyu*, een 'extra' seizoen van half juni tot half juli, de tijd dat de moesson veel regen brengt.

De seizoenen spelen een grote rol in veel dingen. In traditionele kleding zijn er verschillende patronen voor *obi* (kimonosjerpen): in de lente pruimenbloesem, in de herfst esdoornblad. Het weer is betrouwbaar; kersenbloesem vind je in Tokyo van eind maart tot begin april. Een uitje om de bloesem te zien, zoals op de foto, wordt *hanami* genoemd. Omdat het in Japan opeens heel koud wordt, zijn de herfstkleuren spectaculair. Veel Japanners gaan er dan ook op uit om ze te zien.

▼ Nagoya, een mooi voorbeeld van stads-uitbreiding in het bergachtige Japan. De vlakten waren vroeger landbouwgrond.

Gegevens

Officiële naam: Japan

Officiële taal: Japans

Aantal inwoners: 126.000.000

Hoofdstad: Tokyo (11.772.000 inwoners)

Munteenheid: yen ¥

Landoppervlak: 377.815 km^2

Etnische groepen: Japanners 99,2%; Koreanen 0,2%; overig 0,2%.

Godsdienst: shinto 39,5%; boeddhisme 38,3%; christendom 3,8%; overig 18,4%.

Belangrijke geografische kenmerken: hoogste berg: Fuji (ook Fujiyama of Fujisan genoemd), 3776 m; langste rivier: Shinano-gawa, 367 km; grootste meer: Biwa-meer, 695 km^2.
Circa 66% van het land bestaat uit bergen.

SOVJETUNIE

Sachalin

N
W   O
Z

Kurilskije-eilanden

HOKKAIDO

HONSHU

JAPANSE ZEE

Yamagata

Kyushugebergte

ZUID-KOREA

Nagano

JAPAN

SHINANO-GAWA

Fuji ▲   ■ TOKYO

Biwameer

Kyoto   Nagoya   Yokohama

Himeji   Osaka   Shimoda

Kobe   Nara

Hiroshima

SUOBAAI

Straat Korea

SHIKOKU

GROTE OCEAAN

KYUSHU

Nagasaki

▲ Aso

RYUKYU-EILANDEN (NANSEI-EILANDEN)

Okinawa

Schaal

| km | 0 | 100 | 200 | 300 |

| mijlen | 0 | 50 | 100 | 150 | 200 |

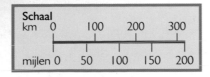

▲ Kraanvogels staan symbool voor een lang leven. Ze komen veel voor in Japanse volksverhalen.

VULKANEN EN AARDBEVINGEN

De bergachtige Japanse eilanden zijn ontstaan door vulkanen en aardbevingen. Er zijn nu meer dan 40 actieve vulkanen en veel slapende. Jaarlijks zijn er duizenden aardbevingen, meestal licht, maar een keer per eeuw is er een zware beving. In 1923 waren er veel branden door een zware aardbeving in Tokyo. Er vielen meer dan 100.000 doden. In 1995 werd de havenstad Kobe getroffen door de zwaarste aardbeving in Japan sinds 70 jaar. Er stierven 5000 mensen en 56.000 gebouwen werden verwoest of beschadigd. Een aardbeving op de bodem van de oceaan geeft *tsunami,* grote vloedgolven, die veel schade aanrichten wanneer ze de kust raken.

▲ Krater van de Aso, een actieve vulkaan.

▼ 'De golf', *tsunami,* is een beroemde Japanse *ukiyo,* houtsnede.
Katsushika Hokosai
Japan, 1760-1849
Het dal van de golf op de oceaan bij Kanagawa, ca. 1830
Houtsnede in kleur, 25,7 × 37,5 cm
Felton-legaat 1909
National Gallery of Victoria, Melbourne

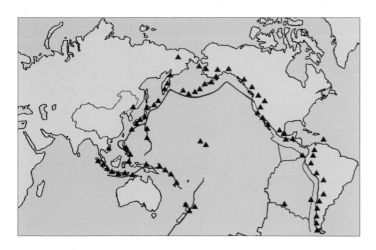

RING VAN VUUR

Dit kaartje laat zien dat Japan in een vulkaancirkel ligt die de Stille Oceaan omsluit. Deze cirkel, 'de ring van vuur', loopt via breuklijnen tussen tektonische platen op de aardkorst. Wanneer de platen bewegen, ontstaan er aardbevingen en vulkanen. Door de vulkaankrater borrelt gas en magma (gesmolten gesteente) omhoog, tot op het aardoppervlak. Gestold magma zorgt voor de typische conische vorm van een vulkaan en voor vruchtbare grond. Vulkanen kunnen actief of slapend (passief) zijn.

AARDBEVING

De Britse dichter James Kirkup, die vijftien jaar in Japan woonde, schreef een gedicht over een aardbeving:

Ik zie de telegraafpalen
   langs de weg
stuiptrekkend zwaaien, en de draden
zwiepen als springtouwen rond
   opgewonden vogels.
De aarde huivert ondergronds.

Aardbeving, James Kirkup (1923-)

▲ Een aardbevingssimulator leert mensen hoe ze zich tijdens zo'n schok moeten gedragen. Op school en op het werk leren mensen hoe ze zichzelf kunnen beschermen en hoe ze anderen kunnen helpen.

▼ Noodtroepen ruimen puin. Wetenschappers houden seismische activiteit in de gaten, en de Japanners zijn goed voorbereid op noodgevallen – zelfs kinderen krijgen brandoefeningen.

▲ De berg Fuji. Deze slapende vulkaan, de hoogste berg in Japan, wordt beschouwd als een symbool voor de schoonheid van het land. Iedereen zou de berg minstens een keer in zijn leven moeten beklimmen.

DE PREHISTORIE

De jagers en vissers uit de Jomon-periode waren de eersten die de Japanse eilanden bewoonden. Rond 400 v.Chr. kwamen de Yajoi vanaf het Aziatische vasteland. Zij beheersten de techniek van het telen van rijst in ondergelopen velden, wat heel belangrijk is geweest in de ontwikkeling voor Japan. Rond de 5e eeuw werd er een kleine staat gevormd rond het huidige Nara. Strijders uit deze tijd en die uit de Kofun-periode, tot 650, reden op paarden en droegen ijzeren zwaarden en bogen.

▲ Aardewerk beeldje uit de Jomon-periode.

▲ Stevige koorden van rijststengels, *shimenawa*, schermen het 'zuivere' interieur van een shinto-schrijn af van de 'onzuivere' buitenwereld.

▼ Regenjas van *mino*, geweven rijststengels.

▶ Aardewerken hondje uit de Kofun-tijd.

▼ Rijstvelden op ondergelopen akkers, een techniek die de Japanners al zo'n 2400 jaar kennen.

▲ Ainu-mannen in traditionele kleding. De Ainu, die nu in het noorden wonen, stammen waarschijnlijk af van het originele Jomon-volk.

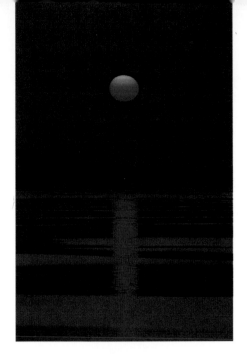

De zon heeft altijd een speciale plaats ingenomen in de Japanse cultuur. De oude Chinezen, die de zon op zagen komen achter de eilanden in het oosten, noemden ze *ji-pen*, 'bron van de zon'. Yamamoto-keizers zagen de zonnegodin als hun voorouder. Japanners noemen hun land *Nippon*, het land van de rijzende zon. Op de Japanse vlag staat de zonneschijf, *Hinomaru* (linksonder).

SHINTO

Shinto is de oudste Japanse religie. Men geloofde dat in miljoenen heilige plaatsen als bomen of bergen krachtige geesten, *kami*, woonden. Later werden voorouders en helden aan de *kami* toegevoegd. Het belangrijkst was *Amaterasu Omikami*, de zonnegodin. Haar schrijn in Ise is de heiligste plaats in Japan. Nu hebben sommige Japanners thuis een plek waar ze voedsel offeren aan de geesten.

▲ Een *torii* geeft de ingang van een shinto-schrijn aan. Oorspronkelijk werden op dit hek de vogels gezet die aan de goden geofferd werden.

◄ Tijdens een ritueel verbranden shinto-priesters houten stokken. De rook zou de gebeden naar de hemel voeren.

NARA EN HEIAN-KYO

De Japanse levenswijze zit vol invloeden uit China en Korea. Chinese wetten, het Chinese schrift en bestuur werden overgenomen en aangepast. In de 6e eeuw kreeg het boeddhisme voet aan de grond en toen Nara in 710 de hoofdstad werd, waren de keizer en de adel boeddhistisch. Keizer Kammu bouwde in de 8e eeuw een modelstad en noemde die Heian-Kyo, hoofdstad van vrede en rust.

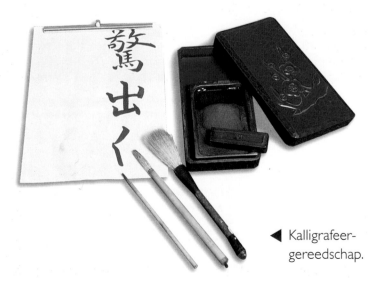

▲ Het Gion-festival stamt uit de 9e eeuw. Het begon in Kyoto, in de hoop dat de goden de epidemie die toen heerste, zouden stoppen. Op sommige prachtig versierde schrijnen staat een heel orkest. Veel festivals hebben een religieuze oorsprong, zoals de oogstfeesten in de herfst om de goden te bedanken. Soms worden boeddhistische en shinto-invloeden gecombineerd. Nu draagt men mooie kostuums en maakt men lol.

KANJI
Kanji, een van de drie soorten Japanse karakters, zijn gebaseerd op het Chinese schrift.
Kanji zijn tekens, of pictogrammen, die een woord uitbeelden. Ze werden oorspronkelijk geschreven met een penseel en *sumi*, een inkt van roet en lijm.
De penseelstreken moeten in een bepaalde volgorde gezet worden.
Kalligrafie-experts zijn van mening dat je niet alleen je hand, maar je hele lichaam en geest moet gebruiken om mooi te schrijven.

Kanji voor **persoon** en **boom**.

Samen betekenen ze **rust**.

◄ Kalligrafeer-gereedschap.

Later werd de naam veranderd in Kyoto, dat duizend jaar de hoofdstad van Japan was. Het had kaars-rechte wegen en kanalen. Het hof van Heian was beroemd vanwege zijn literatuur, ele-gantie en schoonheid. Kyoto is nog steeds een centrum van kunst en nijverheid als kalligrafie en beeldhouwwerk.

Technieken voor het werken met metaal, hout, bamboe en papier worden van meester op leerling doorgegeven.

◀ Handgemaakte pop, model van een jonge adellijke vrouw die de *junihitoe* draagt, een 12-lagig gewaad dat aan het hof van Heian werd gedragen (800-1200).

◀ Vijfsnarige Japanse luit uit de 8e eeuw.

▲ *Daibutsu*, een groot, 8e-eeuws boeddhabeeld van brons en goud in de Todajji-tempel in Nara.

BOEDDHISME

Het boeddhisme kwam vanuit China Japan binnen en vervlocht zich met de oude shinto-religie. Vaak stond er een boeddhistische tempel bij een shinto-schrijn. Veel Japanners krijgen een boeddhistische begrafenis en bij boeddhistische altaars worden voorouders herdacht. Boeddha betekent 'de verlichte'. Gautama Siddharta (5e eeuw v.Chr.) was een rijke Indiase prins die, geschokt door het lijden in de wereld, zijn rijkdom in de steek liet en op zoek ging naar verlichting. Hij leerde zijn volgelingen de leer van de Vier Waarheden en het Achtvoudige Pad. Er zijn veel boeddhistische varianten: de Japanners ontwikkelden Zen, een zeer strenge vorm.

▶ Een 8e-eeuwse doos met inlegwerk, gevonden in de Horyuji-tempel in Nara. De tempel werd gebouwd in 607 en was daarmee het oudste houten bouwwerk ter wereld.

SJOGOENS EN SAMOERAI

In de Middeleeuwen werd er veel oorlog gevoerd. Japans eerste *sjogoen,* generaal, was Minamoto Yoritomo. Toen de macht van de sjogoens toenam, werd de invloed van de keizers kleiner. De sjogoen had de leiding over machtige *daimyo,* krijgsheren. Diens volgelingen waren de *samoerai,* 'zij die dienen', of *bushi,* 'de vechters'. Zij leefden volgens een strikte erecode, de *bushido,* 'de weg van de krijger'. Halverwege de 15e eeuw werd het

▲ Het kasteel in Himeji, 'De witte reiger'.

▼ Uesugi-festival, waar de *samoerai*-strijd wordt uitgebeeld.

◄*Noh*-masker. *Noh,* een gestileerde kunstvorm, is de oudste vorm van Japans theater. Tekst, muziek en dans vertellen een verhaal.

Processie van boogschutters in middeleeuwse kledij.

ZEN EN DE THEECEREMONIE

Zen is een vorm van boeddhisme die leert dat door training en meditatie verlichting bereikt kan worden. Een zen-priester bedelt om geld en eten. Het dagelijks leven in Japan is beïnvloed door Zen, waarbij de nadruk ligt op alles eenvoudig, maar correct doen.

land verscheurd door een burgeroorlog. Vanaf de 16e eeuw werd het land weer één onder een aantal krachtige leiders. Het eerste contact met Europa stamt uit 1543, toen Portugese schepen wapens, handelswaar en katholieke missionarissen aan land brachten – die hun werk echter niet mochten doen, omdat de regering bang was voor buitenlandse ideeën.

Je kunt deelnemen aan theeceremonies die nog net zo gaan als in de 16e eeuw. Je moet alleen geen haast hebben. De zen-ideeën over discipline en eenvoud vormen de basis. Elk detail is belangrijk. De gastvrouw doet groene poederthee in elke kom, giet er heet water over en roert met een bamboe kwast. De gast buigt, ontvangt de kom en draait die rond voor hij eruit drinkt.

▼ *Samoerai*-wapenrustingen zijn gemaakt van lakleer en metaal.

◀ Theehuizen voor ceremonies hebben vaak een eenvoudige tuin en een lage ingang, zodat je moet buigen om naar binnen te kunnen. Er is een wachtruimte, een ruimte waar maximaal vijf gasten thee drinken en een ruimte voor de afwas. Het Japanse woord *wabi* beschrijft deze eenvoudige, mooie vormgeving.

▼ De tuinen van zen-tempels stralen rust uit. Een steen kan een hele berg symboliseren; wit zand stromend water.

DE GESLOTEN WERELD VAN EDO

Onder het bewind van de sjogoens was Japan meer dan 250 jaar afgesloten van de rest van de wereld. In die tijd werden de krijgsheren (*daimyo*), steeds machtiger. Het keerpunt in de Japanse geschiedenis is de slag van Sekighara in 1600, toen de machtigste krijgsheer, Tokugawa Ieyasu, gezag over het hele land kreeg. De keizer benoemde hem tot sjogoen. Zijn basis was het landgoed Edo, dat snel uitgroeide tot een stad. De sjogoen verplichtte zijn krijgsheren en hun families in Edo te wonen. Het van de rest van de wereld afgesloten Edo werd een centrum voor vrije tijd en kunst.

▼ Kastelen werden omringd door grachten en muren.

▲ *Bunraku*-poppen zijn zo'n 50 cm hoog. De in het zwart geklede spelers zijn
▼ op het podium te zien.

▼ *Kendo*-training met bamboestokken. *Samoerai* trainden op deze manier hun lichaam en geest.

▲ Kabuki-theater.

Wanneer de krijgsheren en hun volgelingen in Edo waren, kregen ontspanning en kunst veel aandacht. Die tijd was beroemd om zijn actieve theater en poppenspel. Veel hoogstaand houtsnijwerk, zoals Hokusais *golf* (blz. 10), werd gemaakt in die periode. Deze stad van mooie kastelen, grachten en tuinen werd later Tokyo gedoopt.

▲ *Geisha's* maken hun gezicht wit en dragen ingewikkelde kimono's. Ze zijn geschoold in zang, dans, conversatie en poëzie.

▼ Kintai-brug, Honshu.

▼ De laatste sjogoen gaf de macht weer aan de keizer: *Het herstel van het keizerrijk* (12 oktober 1867).

VAN MEIJI TOT NU

In de 19e en 20e eeuw veranderde er enorm veel in Japan. De tijd van de *daimyo* en *samoerai* werd vervangen door industriële vernieuwing naar westers model. In 1854 werd 250 jaar isolement doorbroken met de aankomst van stoomschepen uit Amerika – admiraal Perry's 'zwarte vloot'. Japan werd gedwongen handel te voeren met de Verenigde Staten en later met andere landen. Er waren ook politieke en sociale hervormingen. Machtige *daimyo* kwamen in opstand tegen de sjogoen, wat het einde van de Edo-periode betekende. In 1868 werd de macht van de Meiji-keizer hersteld.

▲ Edo kreeg later de naam Tokyo, 'oosterse hoofdstad'. Op de afbeelding verhuist de jonge Meiji-keizer in oktober 1868 van Kyoto naar Tokyo. Let op de traditionele kleding.

▲ Shimoda viert jaarlijks het 'zwarte vloot-festival'.

▶ Vrouwen en kinderen in westerse kleding in Rockumeikan Hall, waar modekoningen de stijl van westerse diplomaten overnamen. Meiji-ambtenaren studeerden in het Westen en deden daar ideeën op voor modernisering op allerlei gebied.

Japanse troepen marcheren naar Shantung in China (1927/1928). Voor de Tweede Wereldoorlog had Japan delen van China, Korea, Sachalin en Taiwan bezet (zie kaart blz. 22).

Keizer Hirohito besteeg in 1926 de troon onder de naam *Showa*, 'verlichting en harmonie'. Er brak echter een periode van grote strijd aan. In de jaren '20 en '30, een tijd vol armoede, heersten Japanse militairen. Zij wilden de macht van het land uitbreiden en vielen China en Korea binnen, waar ze bruut heersten. Toen de Britten en Amerikanen zich tegen Japan keerden, schaarde Japan zich aan het begin van de Tweede Wereldoorlog aan de zijde van Duitsland en Italië.

WESTERSE INVLOED

▲ Er kwam elektriciteit; er kwamen treinen en trams, verkiezingen en openbaar onderwijs.

◀ Japanse en westerse kunstenaars waren in elkaar geïnteresseerd. Dit beeld uit 1914, *Spelletje* van Tobari Kogan, laat een westerse invloed zien.

◀ De *Kamikaze*, 'godenwind', het eerste vliegtuig dat de non-stopvlucht van Tokyo naar Londen volbracht (in 1937), was genoemd naar de wind die in de 13e eeuw Mongoolse schepen verdreef en zo een aanval verhoedde. De Japanners zagen dit als een gebaar van God. In de Tweede Wereldoorlog werd de term gebruikt voor piloten die zich met hun vliegtuig vol explosieven op vijandelijke doelen stortten.

▲ Luchtfoto van de Japanse aanval op Pearl Harbor, 8 december 1941.

TWEEDE WERELDOORLOG

Japan had jarenlang buurlanden bezet. Toen generaal Tojo in 1941 premier werd, bezette Japan ook Indo-China (nu Viëtnam), waarop de Amerikanen de Japanse olie boycotten. In december 1941 viel Japan de Amerikaanse vloot aan in Pearl Harbor, Hawaii, en verwoestte deze bijna geheel. De VS verklaarden Japan de oorlog en zo raakte ook Azië betrokken bij de Tweede Wereldoorlog. Aanvankelijk boekte Japan succes – op de Filippijnen, in Indonesië, Maleisië, Singapore en Burma. In 1942 volgden ook overwinningen op zee. In 1945 namen de VS wraak met atoombommen op de Japanse steden Hiroshima en Nagasaki. Spoedig hierna liet keizer Hirohito weten dat hij zich overgaf.

▲ Japanse soldaten rukken op naar Thailand en Burma, 1942. Krijgsgevangenen werden door de Japanners gedwongen onder afschuwelijke omstandigheden te werken aan de aanleg van de Burma-spoorlijn. Japanners meenden dat gevangen zijn een schande was en behandelden gevangenen daarom heel bruut. Er vielen duizenden doden.

▶ De gele lijn geeft Japanse veroveringen voor de Tweede Wereldoorlog aan; de oranje lijn het grote aantal veroveringen tijdens die oorlog.

◄ Een schuilkelder. Japan heeft zolang oorlog gevoerd dat Japanners thuis honger leden en onder vreselijke omstandigheden leefden. Iedereen werkte voor de oorlogsindustrie.

► Militaire oefening op school.

◄ Vrouwen die vrijwillig oorlogstuig in elkaar zetten.

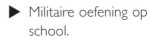

EINDE VAN DE OORLOG

Tijdens de oorlog werkten wetenschappers aan beide zijden aan de ontwikkeling van een atoombom, het krachtigste wapen dat men kende. De Amerikanen bombardeerden in augustus 1945 Hiroshima en Nagasaki. Er vielen 100.000 doden en nog veel meer gewonden. Velen stierven later aan de gevolgen van straling. Sommigen denken dat Japan zich ook op korte termijn over zou geven als de bommen niet gebruikt waren; anderen menen dat de bommen de afloop van de oorlog versneld hebben.

▲ Atoombom op Hiroshima, 6 augustus 1945.

► Afgevaardigden van geallieerde en van Japanse zijde aan boord van de USS *Missouri* tijdens de capitulatie-ceremonie op 2 september 1945.

WEDEROPBOUW NA DE OORLOG

Terwijl Japanse strijdkrachten in Zuidoost-Azië vochten, leden de Japanners thuis onder honger en armoede. De steden werden gebombardeerd. Na de capitulatie kwamen tienduizenden Japanners terug naar hun land. Ze hadden voedsel, huizen en werk nodig – een zware taak voor de regering. Generaal Douglas MacArthur en geallieerden, veelal Amerikanen, zorgden voor hulp om het land weer op te bouwen. In het Vredesverdrag staat dat de Japanners 'voor eeuwig afzien van oorlog', waardoor het land zijn leger alleen voor verdediging kan gebruiken. Er kwam een grondwet en het land werd op een moderne manier heropgebouwd. De Japanners accepteerden de aangeboden hulp en kregen weer controle over hun veranderde samenleving. Vanwege de snelle groei stond die al snel bekend als de 'tijger-economie'.

▲

Origami-kraanvogels zoals Sadako en haar vriendinnen ze maakten in Eleanor Coerrs beroemde boek *Sadako en de duizend papieren kraanvogels*, een verhaal over een meisje dat na de bom op Hiroshima lijdt aan leukemie. Ze gelooft dat duizend papieren kraanvogels haar leven kunnen redden.

◀ Een beschadigde koepel tussen het puin in Hiroshima na de atoombom.

▼ Het Vredespark, met de dom als een monument dat herinnert aan de vreselijke gevolgen van oorlog. Hiroshima is nu een moderne wereldstad.

▲ Brede wegen en hoge gebouwen zijn kenmerkend voor de nieuwe steden.

Het waren zware tijden. Er was te weinig voedsel – het meeste was naar het leger gegaan. Bij de heropbouw kregen gezondheidszorg en voedselvoorziening prioriteit.

▲ Zaaien op gebombardeerd terrein. Er was te weinig rijst, zodat mensen zelf aardappelen en pompoenen gingen verbouwen voor consumptie.

▶ Er werd een overblijfsysteem op scholen opgezet.

▼ Land werd terug-gevorderd; nieuwe tech-nieken werden geïntroduceerd. Hier een graan-oogst op grond die eerst moe-rassig was.

▲ Het stripfiguurtje Sazae-san verscheen vlak na de oorlog. Het bracht verlichting in barre tijden. Sazae luistert naar een recept op de radio om nog iets te maken van het slechte 'surrogaat'-eten uit die tijd.

▶ Keukenspullen en voorgekookt eten, jaren '60.

DE HUIDIGE REGERING

De beginselverklaring uit 1946 stelde dat Japan een parlementaire democratie moest worden. Alle Japanners vanaf twintig jaar hebben stemrecht. Zij kiezen afgevaardigden voor de *Diet*, het parlement. Er zijn twee Kamers, de *Shugi-in*, Tweede Kamer, en de *Sangi-in*, Eerste Kamer. Aan het hoofd staat de minister-president. Hij wordt gekozen uit de grootste partij. Aan het hoofd van elk van de 47 'prefecturen' staat een prefect. In deze vorm van constitutionele monarchie heeft de keizer geen macht meer. Hij staat alleen nog voor de vorm aan het hoofd van de regering.

▲ ▶
Het *Diet*-gebouw van buiten en van binnen.

◀ De chrysant, die symbool staat voor de keizerlijke familie, is het nationale embleem van Japan, dat geen wapenschild heeft, zoals de meeste landen.

DE KEIZER

Met de dood van Hirohito in 1989 eindigde de langste —en woeligste— regeringsperiode van een Japanse keizer. In 1990 was Akihito de eerste keizer die onder de naoorlogse grondwet werd aangesteld. Vroeger was de keizer een soort god die ver van de mensen stond. Nu is de keizer 'het symbool van de staat en de eenheid van het volk'. Het respect en de liefde van het volk voor de keizer maakt ze tot een natie.

▲ Keizer Akihito, in gewone kleding, bij de rijstoogst. Hij wordt niet gezien als een afstammeling van de goden en beweegt zich gewoon tussen de mensen.

◀ Keizer Akihito en zijn familie.

Leden van het parlement worden bepaald door de verkiezingen. In steden en dorpen, die bestuurd worden door gemeente- en dorpsraden, wordt gestemd. De regering moet een enorme bevolking besturen: 72 miljoen inwoners in 1940, 126 miljoen nu – op zo'n kleine oppervlakte een zware taak!

▲ Vrouwen kregen stemrecht in december 1945.

◄ De regering bouwt een efficiënte infrastructuur. De Seto Ohashi-brug over de Binnenlandse Zee verbindt de eilanden Honshu en Shikoku.

▼ Japanse militairen bij een parade. De grondwet van 1946 bepaalt dat Japan geen oorlog zal voeren, behalve uit zelfverdediging. Het rijke Japan heeft daarom slechts een klein leger, geen dienstplicht en is voor zijn veiligheid afhankelijk van zijn verdrag met de Verenigde Staten.

▲ De regering leidt de complexe import- en exporteconomie. Scheepswerven, autofabrikanten en de handelsvloot werken samen om auto's naar havens over de hele wereld te vervoeren.

JAPAN EN DE REST VAN DE WERELD

Er zijn veel ideeën uitgewisseld tussen Japan en andere landen. Vanaf het einde van de 18e eeuw, toen westerse landen handel met Japan gingen voeren, beïnvloeden Japanse accenten ontwerpen van stoffen, aardewerk en drukwerk. Sindsdien wordt de Japanse 'stijl', heldere lijnen en open ruimte, ook in kunstvormen als (landschaps)-architectuur en bloemschikkunst gebruikt. Omgekeerd hebben Japanse fabrikanten producten ontwikkeld met westerse invloeden en hebben de mensen westerse kleding en gebruiken overgenomen – ze zitten zowel op stoelen als op traditionele kussens; dragen spijkerbroeken, eten fastfood en luisteren naar westerse muziek.

▲ Ivoren *geisha*. Westerlingen (militairen en anderen die in de jaren '50 bij de wederopbouw geholpen hadden) namen dit soort souvenirs mee.

◄ Dr. Suzuki demonstreert zijn methode om viool te spelen. Wereldwijd maken jonge kinderen muziek volgens zijn methode – op piano en orgel al als twee- of driejarige.

私
の
一
句

Sand for a mattress
so peaceful in the hot sun
waves swallow my feet

砂がマットレス
暑い太陽を浴びてとても平和だ
波が足をあらっていく

HAIKU

Een gedicht uit de haiku-wedstrijd van Japan Airlines. Deze *haiku* is geschreven door de 12-jarige Talia Jane Verhaaf uit Zuid-Australië. Haiku's van kinderen, geschreven in hun eigen taal, staan in *Haiku by the Children*.

Wat is een *haiku*? Een kort gedichtje over de natuur, met daarin iets wat de dichter heeft gezien of gevoeld, en vaak een woord dat een seizoen uitdrukt. Het aantal lettergrepen is 5 - 7 - 5. Een goede *haiku* bevat een soort verrassing aan het eind. De *haiku* was vroeger een speciaal soort versvorm; Shiki Masaoka (1867-1902) gaf hem zijn huidige vorm.

SONY, EEN SUCCESVERHAAL

Twee ex-mariniers richtten in 1945 in een verwoeste fabriek in Tokyo de Tokyo Communications Industrial Company op. In 1956 had dit bedrijf een manier bedacht om transistors, die in de VS ontwikkeld waren, te gebruiken voor kleine radio's, die ze de merknaam Sony gaven. De radio's werden verkocht in de VS en Sony werd een van de bekendste namen uit de 20e eeuw. Sony kwam in 1979 als eerste met de walkman (boven) en in 1982 met de cd-speler. Autofabrikanten Toyota en Honda, twee andere grote Japanse exportbedrijven, ontwikkelden zich op een vergelijkbare manier.

▶ Ook een wereldwijd succes: de *tamagotchi*.

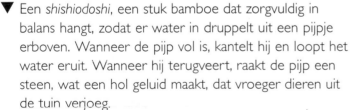

◀ Japan helpt wereldwijd. Een Japanse dokter van het Rode Kruis verleent hulp bij rampen en hongersnood.

▲ Klaar voor *karate*-les, een vechtsport die stamt uit de Middeleeuwen. Individuele Japanse vechtsporten als *judo* en *kendo*, dat gebaseerd is op de schermkunst van de *samoerai*, zijn nu overal in de wereld bekend.

▼ Een *shishiodoshi*, een stuk bamboe dat zorgvuldig in balans hangt, zodat er water in druppelt uit een pijpje erboven. Wanneer de pijp vol is, kantelt hij en loopt het water eruit. Wanneer hij terugveert, raakt de pijp een steen, wat een hol geluid maakt, dat vroeger dieren uit de tuin verjoeg.

In Japan zijn de westerse sporten golf, honkbal en voetbal populair. ▼

LANDBOUW EN VISVANGST

De Japanse landbouw begon circa 2000 jaar geleden met de verbouw van rijst. Slechts 14% van het land is geschikt voor landbouw. Rijst wordt verbouwd in ondergelopen velden.

Tegenwoordig doen machines een groot deel van het werk dat vroeger met de hand gedaan werd. Japanse boerderijen zijn heel klein, gemiddeld 1,4 hectare. In dit dichtbevolkte land met weinig ruimte is het belangrijk dat boeren op een klein stuk grond zoveel mogelijk verbouwen. De meeste boerderijen zijn familiebedrijven, die vaak ook andere inkomsten hebben. Japanse vissersboten bevaren de oceanen.

▲ Voer voor de winter, zoals balen hooi, wordt geïmporteerd, veelal uit Canada. Vee wordt binnengehouden vanwege de koude winters en het tekort aan grasland.

▶ Gevogelte wordt in legbatterijen gefokt voor hogere opbrengsten.

▼ Een schuur met hooi voor de koude wintermaanden.

▼ Runderen worden in kleine boxen gehouden. De boer voert ze dagelijks.

▲ Met sneeuw bedekte landerijen tijdens een koude winter.

▲ Rijstvelden op terrassen
op het eiland Shikoku.

▲ Meloenteelt in een kas. Meer dan
50% van alle groenten en fruit
die de Japanners eten, worden in
hun eigen land verbouwd. Men
wil verse kwaliteitsproducten.

▶ Gerst, klaar voor de oogst,
Hokkaido.

ETEN WAT DE ZEE BIEDT

Japanners eten meer vis dan enig ander volk.
Vissersboten bevissen dagelijks de kustwateren, maar
de opbrengst loopt terug, zeker op plekken die
vervuild zijn. Sommige buitenlanders protesteren
tegen de manier waarop de Japanners vissen met
drijfnetten. Er wordt ook veel vis ingevoerd. Veel vis,
schelvis en zeewier komt van zoetwater- en
kustkwekerijen.

◀ Viskwekerij.

▶ Pijlinktvis hangt te drogen
in de zon.

▲ Japan exporteert goederen over de hele wereld. Japanse bedrijven bouwen ook fabrieken in andere landen.

INDUSTRIE EN ECONOMIE

De Japanse welvaart is verkregen met slechts weinig natuurlijke bronnen. De hoogopgeleide, hardwerkende Japanners zijn de troefkaart van het land. Industrieën exporteren eindproducten in ruil voor broodnodige olie, mineralen en ruwe grondstoffen; meer dan 90% van alle kolen, ijzererts, koper en lood zijn ingevoerd. Sinds de jaren '70 heeft Japan een hoogwaardige technologische industrie opgebouwd. Overheid en bedrijfsleven werken hiervoor nauw samen.

ZAKENDOEN IN JAPAN

Zakelijke transacties zijn gebaseerd op respect en vertrouwen, en beginnen met de uitwisseling van visitekaartjes en een buiging. Japanse zakenmannen nemen de tijd om elkaar te leren kennen. Bedrijven kijken naar de lange termijn en streven naar een gestage groei en een marktaandeel. Werknemers worden goed behandeld, maar er wordt wel van hen verwacht dat ze alles voor het bedrijf doen.
Japanse bedrijven investeren in de toekomst en mensen sparen veel.

Maar Japan is sterk afhankelijk van de wereldhandelsmarkt en dus van de financiële stabiliteit van andere landen. Als de waarde van de yen daalt, heeft dat veel effect op de handelspartners.

▲ Filiaal van de Japanse Bank in Osaka.

◄ De Beurs in Tokyo, waar aandelen worden verhandeld, is een van de drukste ter wereld. Door het succes van Japanse bedrijven heeft de yen een hoge koers. Daardoor kunnen de Japanners meer kopen voor hun geld.

Japanners verwerken al eeuwenlang ideeën uit andere landen. Japan is een wereldleider in technologie, ook als het satellieten, elektronica en computers betreft. De stereo-installatie, cd en *tamagotchi* zijn uitgevonden in Japan, nu een van de rijkste landen ter wereld.

▲ Japanse weersatellieten geven informatie aan vele landen.

▲ Een Canon ELPH-camera.

▶ Robots aan een lopende band in een autofabriek.

▼ Japan loopt voorop op medisch en biochemisch terrein.

▼ In Japan gebouwde tankers vervoeren olie.

TOKYO

Tokyo, cultuurcentrum in de Edo-periode en hoofdstad van Japan sinds 1868, is een drukke, welvarende stad. Tokyo is twee keer bijna geheel vernield: door de grote aardbeving in 1923 en tijdens bombardementen in de Tweede Wereldoorlog. De stad heeft zowel historische als moderne elementen. Het keizerlijk paleis in het centrum is omringd door grachten en tuinen. Tokyo heeft veel schrijnen en parken. Langs smalle wegen staan vele wolkenkrabbers. Tokyo biedt musea, galeries, sportcomplexen, golfbanen, honkbalterreinen en lawaaierige gokhallen.

▲ 5 mei is Jongensdag. Veel jongens dragen dan traditionele kleding en dragen een *samoerai*-zwaard.

▼ Vuurwerk boven de rivier de Sumida.

▲ Ginza, Tokyo's beroemde winkelcentrum, met restaurants, bazars en modieuze kledingwinkels.

▶ Souvenirwinkels. De straten in Tokyo zijn druk, maar schoon.

HET VERKEER IN TOKYO

Circa 10% van de bevolking woont in de prefectuur Tokyo. Veel forenzen moeten ver reizen naar hun werk. Files zijn heel gewoon en parkeerplaatsen zijn moeilijk te vinden. Elektronische wegwijzers loodsen auto's door de stad. De metro, met tien lijnen, is efficiënt, maar overvol. Voor toeristen zijn er Engelstalige plattegronden met symbolen.

▲ Shinjuku-kantorencomplex.

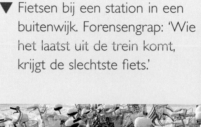

▼ Fietsen bij een station in een buitenwijk. Forensengrap: 'Wie het laatst uit de trein komt, krijgt de slechtste fiets.'

▲ Een *koban*, politiepost, te vinden op veel straathoeken. Men geeft er hulp en probeert misdaad te voorkomen.

◄ De boeddhistische tempel Asakusa Kannon met de enorme papieren lantaarn is sinds de 7e eeuw meermalen herbouwd op deze plek.

▼ De dans van de witte reiger, uitgevoerd bij de Asakusa-tempel: Tokyo is honderd jaar geleden als hoofdstad benoemd door de Meiji-keizer.

OUD EN NIEUW

Japanners maken in het dagelijks leven gebruik van de modernste technologie. Moderne apparatuur vergemakkelijkt communicatie, vervoer, werk en ontspanning. Nieuwe ontwikkelingen 'bedekken' de oude cultuur en lossen ook oude problemen op, zoals brandblustechnieken, en versterken gebouwen in het geval van een aardbeving. Muziek, theater en sport laten vaak nog sporen van oude gebruiken zien en shinto-schrijnen staan overal in de drukke steden. De snelle *shinkansen*-trein van Tokyo naar Kyoto volgt de route van middeleeuwse processies.

▲ *Shinkansen* werden in 1964 ingevoerd tijdens de Olympische Spelen in Tokyo. De treinen rijden zo hard dat het uitzicht wazig wordt. De eerste lijn volgde de oude route naar Tokkaido, ten zuiden van Tokyo. Je kunt de berg Fuji vanuit treinen op deze route zien.

▲ De wenkende kat is een decoratie die winkels gebruiken om klanten te lokken. Ronde *daruma*-poppen, die wensen uit zouden laten komen, zijn populair bij verkiezings-kandidaten.

Gebouwen van beton en staal met elektrische verlichting zijn veiliger dan die van hout met papieren lantaarns. Branden waren zo gewoon in Tokyo, dat men ze 'de bloemen van Edo' noemde.

▲ Papieren lantaarns, nu feestverlichting, vroeger functioneel in huis.

◀ Elektrisch en neonlicht heeft het brandgevaar verkleind.

▶ Deze robot kan vuur blussen op moeilijke plekken die voor mensen te gevaarlijk zijn.

MANGA

Striptekeningen, *manga*, zijn vaak traditioneel.
De wekelijkse uitgaven zijn populair bij zowel
volwassenen als kinderen. Een van de bekendste
manga-figuren was *Atomu* (Astro Boy), rechtsboven met zijn
bedenker, Tezuka Osamu.

▼ Bij *sumo*-worste-
len begint een
wedstrijd met
het strooien van
zout om de ring
te zuiveren.

▲ Rockband 'Dreams Come True'. Japanse
volksmuziek en westerse klassieke muziek
zijn populair, net als internationale jazz,
blues en rock en Japanse *karaoke*, waar
bijna iedereen aan meedoet.

◄ De *koto* is een harp
met dertien snaren.
De rechterhand plukt
aan de snaren, de
linkerhand drukt op
de snaren achter de
brug om de toon te
beïnvloeden.

◄ Na het lezen van voorspellingen
bij een shinto-schrijn hangt men
de papiertjes als gebeden aan
lijnen. Slechts weinig Japanners
hangen tegenwoordig het shinto-
geloof aan, maar sommige
gebruiken, zoals huwelijks- en
nieuwjaarsrituelen, blijven
traditie.

FAMILIEZAKEN

De grote gezinnen van vroeger, waar vaak ook grootouders en andere verwanten bij hoorden, zijn tegenwoordig vervangen door kleine gezinnen: ouders en één kind. De man werkt gewoonlijk hard en heeft geregeld zakenetentjes na zijn werk. De vrouw regelt het huishouden en familiezaken als opvoeding en scholing. Tegenwoordig werkt ze vaak en zijn er in Tokyo veel 'sleutelkinderen' (kinderen die zelf een sleutel hebben omdat hun ouders niet thuis zijn als ze uit school komen). Japanners houden erg van kinderen en verzorgen ze uitstekend, zeker als beide ouders werken.

▲ Bij een shinto-huwelijksceremonie wordt *sake*, Japanse rijstwijn, gedronken. Veel stellen trouwen ook in westerse stijl. Huwelijken werden vaak tussen families geregeld met hulp van een *nakodo*, een huwelijksmakelaar, maar tegenwoordig kiezen de meeste jongeren zelf hun partner.

▶ Japanse vrouwen doen dagelijks boodschappen om verse ingrediënten te kunnen gebruiken.

▶ Deze grootmoeder werkt in de visindustrie.

▶ Japanners hebben respect voor hun overleden voorouders.

◀ Boerenfamilie in de buurt van Nagano. De kwekerij van deze familie is keurig georganiseerd; hun levensstijl is veel ontspannener dan die van stadsmensen. Gezinnen in dorpen zijn vaak groter dan in de stad.

◀ Dineren in een restaurant: een manier om het zakelijke met het aangename te combineren. Men zit op kussens. In de *toconoma*, alkoof, hangen schilderijen.

▲ Kinderen leren traditionele kleding te dragen, respect voor ouderen te hebben, te buigen, beleefd te praten en tafelmanieren te gebruiken.

HUIZEN EN LEVENSSTIJL

De Japanse levensstijl wordt bepaald door het grote aantal mensen op het kleine oppervlak. Mensen leven en werken erg dicht op elkaar. Veel stedelingen wonen in kleine flats, met weinig ruimte om mensen te eten te vragen. Japanners brengen daardoor veel tijd buitenshuis door.

Oude manieren om ruimtetekort op te lossen zijn nog steeds gangbaar. In oude huizen schermde een papieren schuifdeur kamers af. Vandaar dat er een gedragscode werd ontwikkeld om nog enige privacy te hebben. Ook nu de huizen 'echte' muren en deuren hebben, is privacy nog heel belangrijk.

Japanners houden van tuinen, ook al is-ie nog zo klein. *Bonsai*, ministruikjes en -boompjes in potten, komen tegemoet aan deze behoefte.

▲ Dorpshuisjes, Shikoku.

▼▶ Jongeren zijn dol op winkels en uitgaansgelegenheden in de steden, maar houden ook van ruimte om zich heen tijdens een wandeling over een rustig strand.

DE JAPANSE EETCULTUUR

Het gebruikelijke menu van de Japanners bestaat uit rijst, zeevruchten en groente. Rijst is zo belangrijk dat alle woorden voor het diner *gohan* bevatten, het woord voor rijst. Zo'n honderd jaar geleden werd vlees ingevoerd. Nu zijn er ook Japanse gerechten met rundvlees, zoals *sukiyaki*, en met kip, zoals *yakitori*, gegrilde kip aan spiesjes. Japanners doen dagelijks boodschappen; ze willen hun eten zo vers mogelijk, vooral de rauwe vis voor *sashimi* en *sushi*. Sojabonen vormen de basis voor *miso*-soep, sojasaus en *tofu*. Voor de lunch zijn noedels, een soort vermicelli, favoriet, meestal in een kom soep. De bekendste drank is *o-cha*, groene thee.

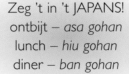

▲ *Bento*, maaltijden in een lunchbox, worden overal verkocht, vooral op stations. Meestal bestaat het eten onder meer uit rijst en plaatselijke specialiteiten.

Zeg 't in 't JAPANS!
ontbijt – *asa gohan*
lunch – *hiu gohan*
diner – *ban gohan*

▲ Noedelkraampje langs de weg.

EETSTOKJES EN TAFELMANIEREN

Eetstokjes, *hashi*, zijn meestal van hout of bamboe. Bij afhaalmaaltijden zit een paar wegwerpstokjes. Aan tafel worden de eetstokjes bij iedere eter horizontaal op een steuntje gelegd. In gezinnen heeft ieder gewoonlijk zijn eigen paar stokjes. Houd de stokjes in de rechterhand en de kom rijst in de linker. Het onderste stokje steunt op de ringvinger en ligt stil; het bovenste beweegt, gestuurd door wijs- en middelvinger, en pakt het eten op.

Wat is niet netjes:
• eten aan de stokjes rijgen of spietsen
• de stokjes rechtop in het eten zetten (behalve voor de dode bij een begrafenis)
• de 'eetkant' van de stokjes in een kom met gezamenlijk eten steken

◄ Feestmaal met rijst, soep en bijgerechten. Alles heeft zijn eigen plek in de tafelschikking.

▼ Westers fastfood is in Japan net zo populair als elders.

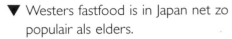

▼ In de lente en zomer wordt er veel gepicknickt.

▲ *Sushi* is wereldwijd geliefd. Kleefrijst met azijn wordt met *wasabi*, een groene pasta van mierikswortel, in zeewier gerold, in porties gesneden en met o.a. rauwe vis geserveerd. *Sushi* maken is een vak apart.

▼ Barbecues zijn vrij onbekend, maar op houtskool gebakken plakjes vlees en groente als aubergine zijn heerlijk met pruimensaus.

◄ Het voedsel wordt met zorg bereid en mooi opgediend. Het ziet er net zo goed uit als het smaakt.

ONDERWIJS

Japanners zijn goed opgeleid. Kinderen volgen verplicht zes jaar lagere school en drie jaar voortgezet onderwijs. Docenten heten *sensei*, een titel met aanzien. Ook op zaterdagochtend is er school en kinderen krijgen huiswerk. Scholieren worden aangemoedigd om lessen te nemen in bijvoorbeeld kalligrafie en muziek. Bijna iedereen volgt nog drie jaar voortgezet onderwijs en veertig procent gaat studeren aan hogeschool of universiteit.

▲ Studentes waaien lekker uit.

LEZEN EN SCHRIJVEN

Om Japans te lezen, begin je rechtsboven op de bladzijde en eindig je linksonder. Japanse woorden werden geschreven in *kanji*, Chinese karakters. Later, toen er veel woorden waren waarvoor geen *kanji* bestonden, kwamen er *kana*, symbolen voor het geluid van lettergrepen.
Er zijn twee soorten *kana*:

* *hiragana* voor Japanse woorden
* *katakana* voor leenwoorden (meestal uit het Engels).

Na het voortgezet onderwijs moeten Japanse kinderen de 2000 *kanji* van de lijst van het ministerie van onderwijs beheersen.

▼ Veel kinderen onder de zes gaan naar een kleuterschool.

▲ Uitwisselingsstudent leert penseelstreken.

▶ *Kanji*-karakters voor Australië.

▲ Ingang van de universiteit van Tokyo.

Ik zal veel bezig zijn met school en huiswerk. Tot we achttien zijn, gaan we 240 dagen per jaar naar school.

Ouders stimuleren hun kinderen om hard te werken voor een school met een goede reputatie, zodat ze toegelaten worden tot een universiteit. Door de competitie in het systeem bezoeken veel kinderen *juku*, huiswerkklassen. Degenen die niet meteen worden toegelaten tot de universiteit, volgen vaak *yobiko*, fulltime bijspijkercursussen.

▶ Iedereen werkt aan hetzelfde onderwerp en gebruikt dezelfde goedgekeurde boeken. De meeste scholieren dragen een uniform.

▼ Koks krijgen les; een van de praktijklessen op een technische school voor 15- tot 20-jarigen.

▲ Ook volwassenen kunnen naar de universiteit.

JAPAN BEZOEKEN

▲ Toeristen zijn dol op houten *kokeshi*-poppen.

Toeristen kunnen rustig reizen in een veilig, schoon, goed georganiseerd land met goede wegen en openbaar vervoer. Er zijn genoeg mogelijkheden om de unieke traditionele manier van leven te leren kennen. Omdat er maar weinig buitenlanders in Japan wonen, kunnen toeristen, *gaijin*, nog wel eens raar bekeken worden, vooral buiten de grote steden. Bezoekers die zich verdiepen in de gebruiken en gewoonten zullen meer genieten van het land. Buitenlandse jongeren kunnen Japanse jongeren leren kennen via uitwis-selingsprogramma's en schoolreizen.

▶ Studenten van een Australische landbouwschool bezoeken hun zusterschool in Nagoya. Ze wonen hier tijdelijk bij een familie, werken op boerderijen, sporten en bezoeken steden en musea.

ACCOMMODATIE

Als toerist kun je natuurlijk in een hotelketen overnachten of in een *ryokan*, een traditioneel Japans hotel. Het personeel draagt een *kimono*. Je trekt je schoenen uit, trekt huispantoffels aan en gaat op een kussen zitten om groene thee te drinken. Je slaapt op een *futon*, een dun matras, dat op *tatami* ligt (rijststromatten). Overdag wordt de futon opgeborgen.

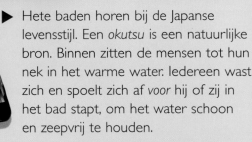

▶ Hete baden horen bij de Japanse levensstijl. Een *okutsu* is een natuurlijke bron. Binnen zitten de mensen tot hun nek in het warme water. Iedereen wast zich en spoelt zich af *voor* hij of zij in het bad stapt, om het water schoon en zeepvrij te houden.

◀ Luister naar de
Koidaika-trommelaars...

▶ ... wordt begraven in
warm vulkaanzand...

▼ ... kijk naar *karate*.

▲ Elk seizoen heeft zijn schoonheid.
Hier het dorpje Jida in de winter.

◀ Het 14e-eeuwse
Gouden Paviljoen in
Kyoto, *Kinkaku-ji*,
met bladgoud op
de bovenste twee
verdiepingen, werd
na een brand in 1955
heropgebouwd.

▶ Op Jongensdag
(5 mei) waaien
vliegers in de
vorm van
karpers (*koi*)
aan hoge
masten, één
voor iedere
jongen in het
gezin.

REGISTER

Hoe gebruik je het register
Woorden die standaard gedrukt zijn, verwijzen naar specifieke onderwerpen. Woorden die **vet** gedrukt zijn, zijn algemene verwijzingen naar onderwerpen; deze woorden hoeven niet op elke bladzijde voor te komen.

FOTOVERANTWOORDING

Afkortingen: r = rechts, l = links, b = boven, m = midden, o = onder.

Mike Langford
Inhoud; inleiding; **8** lo, ro; **11** lo; **13** lb, rm; **16** lb, rb, o; **17** m, lo; **18** rb, rm, lo, ro; **31** rb, m, ro; **34** lb; **35** rb, m; **36** m; **37** rm; **38** lb, m, rm; **39** lb, tc, lm, o; **40** rm, lo; **41** rm; **42** lb, lo; **43** lm; **44** lo; **45** lb, rb, lm, m, o.

Japan National Tourist Organization
8 lb; **9** ro; **10** lb; **12** b, lo, bc, ro; **13** lo; **14** lb; **15** lo; **17** tc, rm, ro; **19** ro; **20** lm; **21** rm; **26** lb; **27** lm; **31** rb; **32** lb, ro; **34** rm, lo; **35** ro; **36** m,

rm; **37** m; **40** lb; **41** rb, lb, lm; **43** lb; **44** ro.

Japans consulaat
11 rm, ro; **14** rm, lo; **16** rm; **24** ro; **26** m, rm, lo; **27** rb, rm, lo; **29** ro; **32** lm, lo; **33** rb, rm, lo, ro; **36** lb, ro; **37** rb, lm; **39** rm, ro; **42** m; **43** rm, lo, ro; **45** tc.

The Japan Foundation
12 lm, rm; **15** rb, lm, ro; **20** b, ro; **21** lb, m, lo; **22** lb, lm, ro; **23** lb, rb, lm, lo, bc, ro; **24** m, lo; **25** rb, rm, m, ro; **42** ro.

Japan Airlines
Omslag; **28** o; **34** ro; **35** lo; **36** lo; **41** ro; **44** lm, ro.

Valerie Hill
Titelpagina; **24** lb; **29** m, lo; **37** lb; **40** ro.

Ben Hill
30 m, rm; **38** lo; **41** lo; **44** rm.

Denny Allnutt
28 lb.

Canon Australia Pty Ltd
33 lm.

Kodansha International
25 Sazae-san-strip.

National Gallery of Victoria, Melbourne
10 o.

Sony Corporation
29 lb.

Suzuki Talent Association of Australia (NSW) Inc
28 m.

Ray Sim
9 kaart; **11** kaart.

De uitgever heeft alle mogelijke moeite gedaan om rechthebbenden op te sporen. Vineyard Freepress Pty Ltd wordt graag op de hoogte gebracht van eventuele fouten en omissies.